ASÍ ES
JUSTIN
BIEBER

 **BIOGRAFÍA NO AUTORIZADA**

Montena

SUMARIO

6 TODO SOBRE JUSTIN BIEBER

8 LOS JUST IN-PRESCINDIBLES

11 JUST IN-ICIOS

12 ¡BIEBER FEVER!

16 ¿HACÉIS BUENA PAREJA?

18 LAS ESTRELLAS DICEN...

20 ASCENSO A LA FAMA

22 A LA MODA

25 ¿SERÁ VERDAD?

26 PASE AL BACKSTAGE

28 JUST IN LOVE

30 ¡FAMA!

32 SUS ÍDOLOS

35 LA MEJOR SONRISA

38 DE GIRA

41 EN FAMILIA

42 JUSTINADAS

44 GAJES DEL OFICIO

46 LA LUCHA POR EL ÉXITO

50 SUS AFICIONES

53 TODO SOBRE SUS VIDEOCLIPS

54 TOCAR EL CIELO

56 ¿ERES JUSTIN-ADICT@?

58 EL CHICO DIEZ

63 SOLUCIONES

TODO SOBRE JUSTIN BIEBER

¡Se ha desatado la Justin-manía! Con una legión de fans a sus pies, Justin Bieber ha pasado de ser sólo un rostro conocido en YouTube a ocupar un merecido puesto en el estrellato internacional... con tan sólo dieciséis años.

ASCENSO FULGURANTE

En su imparable carrera hacia el éxito, Justin no ha dejado de aparecer en programas de radio y televisión. De hecho, protagoniza ya su propio programa —*The Diary of Justin Bieber*— en la MTV americana.

Justin se ha colado en el top-ten de iTunes y sus canciones son las más descargadas de Estados Unidos. Ha vendido millones de copias de sus singles y álbumes, consolidándose como un fenómeno fan allá donde va.

Mientras las ventas siguen creciendo, Justin se está convirtiendo, a su temprana edad, en uno de los ídolos juveniles con más proyección de los últimos cincuenta años.

ENTRADA LIBRE

Empieza a leer y conocerás muy de cerca a Justin; sabrás todos los detalles de su vida amorosa y sus secretos más íntimos. Descubre cómo pasó de la popularidad en Internet al reconocimiento internacional y entérate de todo lo que le gusta.

Y es que a Justin le espera lo mejor, pues este es tan sólo el principio de una larga carrera de éxitos.

LOS JUST IN-PRESCINDIBLES

NOMBRE COMPLETO: Justin Drew Bieber

FECHA DE NACIMIENTO: 1 de marzo de 1994

COLOR DE OJOS: marrón

SIGNO DEL ZODÍACO: piscis

RASGOS FAMILIARES: tiene los ojos y nariz de su padre y los labios de su madre

COLOR FAVORITO: lila

NACIONALIDAD: canadiense

CIUDAD NATAL: Stratford, Ontario (Canadá)

ACTUALMENTE RESIDE EN: Atlanta, Georgia (Estados Unidos)

HERMANOS: dos hermanastros pequeños, Jazmyn y Jaxon

COMPAÑÍA DISCOGRÁFICA: Island Records

MASCOTAS: un perrito de raza Papillon llamado Sammy

INSTRUMENTOS: trompeta, guitarra, piano y batería

ESTILO: skater *cool*

INFLUENCIAS MUSICALES: Usher, Michael Jackson, Stevie Wonder, Boyz II Men

LE GUSTA: el deporte; el skateboard y el breakdance

LENGUAS: inglés y francés

PLATO FAVORITO: espagueti a la boloñesa, pastel de queso y ositos de gominola

SU DESAYUNO: Cereales Cap'n Crunch

LE ENCANTA: ir al cine con los amigos y jugar a la Nintendo

ODIA: Aggh... que las chicas se pongan botas

PELI FAVORITA: *Rocky IV*

SERIE FAVORITA: *Smallville*

SUEÑOS: hacer un dúo con Beyoncé, ir a la universidad y hacer sus pinitos en el cine

SUPERHÉROE FAVORITO: Supermán

¿ZURDO O DIESTRO?: zurdo

¿MAC O PC? Mac

MÁS SOBRE JUSTIN...

... AMOR:

"Claro que le doy importancia. Tampoco soy un experto en el tema, aunque aprendo rápido. Uno nunca deja de aprender".

... ESTUDIOS:

"Estudio a distancia. A veces me acompaña mi tutor en los viajes. Así, no pierdo el ritmo de trabajo y sigo haciendo los deberes".

... FAMA:

"Aluciné bastante con el vuelco que dio mi vida. Era como: ¿estoy soñando? Fue un momento muy surrealista".

... PROFESIÓN SOÑADA:

"Me encantaría ser arquitecto. Estaría muy bien. Me gusta el dibujo técnico".

... CON QUIÉN TE IRÍAS A CENAR:

"Con Chuck Norris".

... WEB FAVORITA:

"freetypinggame.net. No sé por qué, pero estoy obsesionado con esta web".

... ¿TE ACUERDAS DE LOS SUEÑOS?:

"Qué va. Caigo redondo en la cama y, cuando abro los ojos, ya es de día".

JUST IN-ICIOS

De la noche a la mañana, la vida de Justin dio un giro completo. Así, ha pasado de cantar solo en su casa a reunirse con los magnates de las grandes compañías. A continuación, todos los detalles de su ascenso hacia el éxito

CÓMO EMPEZÓ TODO

Tenía doce años cuando se presentó a un concurso musical de jóvenes talentos en su ciudad natal, Ontario, Canadá. La mayoría de los participantes habían estudiado técnica vocal, mientras que Justin, sin apenas formación, se hizo con el segundo puesto. "En ese momento no me lo tomaba en serio. Me gustaba cantar por casa, sin más", comenta Justin.

SUS PRIMEROS VÍDEOS

Justin empieza a sentir la necesidad de compartir sus canciones con los demás. Disfrutaba cantando a Stevie Wonder, Ne-Yo y Usher (en la foto). Así fue como en 2007 decide grabarse versionando a sus ídolos del pop y colgar los vídeos en Internet para la familia y amigos.

De la manera más inesperada, sus vídeos empiezan a suscitar un enorme interés, hasta alcanzar los 10 millones de visitas en tan sólo siete meses.

LA GRAN OPORTUNIDAD

El productor ejecutivo de So So Def Recordings, Scooter Braun, se enteró de que empezaba a despuntar un cantante de gran talento que, además, estaba despertando un gran interés en la Red. En seguida convocó a Justin para hablar en su despacho de Atlanta. Por pura casualidad, se encontraron con Usher en un aparcamiento y Braun le animó a que se uniera a ellos para escuchar a Justin. Usher ni se presentó. "Ahora siempre estamos de broma y no paro de recordarle que me dejó tirado en nuestra primera cita", dice Justin.

Poco tiempo después, Usher llamó a Justin para firmar el contrato discográfico.

Justin firmó para Island Records en 2008. Scooter se convirtió en su mánager y Usher le abrió las puertas en el negocio de la música. A partir de ahí, no ha habido más que éxitos.

¡BIEBER FEVER!

Más de 40 millones de personas se declaran fans de Justin Bieber. Los síntomas son claros: palpitaciones, temblores, risas y llantos. Se autoproclaman Bieber-adict@s y serían capaces de cualquier cosa por él.

LÁGRIMAS POR JUSTIN

Una niña de tres años llamada Cody se grabó en un vídeo llorando desconsolada, mientras confesaba que "amaba a Justin Bieber".

Justin vio el vídeo en YouTube y poco después le quiso dar la sorpresa de su vida a la preciosa niña, apareciendo para ella en el programa *Jimmy Kimme! Live!* La afortunada Cody lo conoció en persona y le pudo dar un abrazo enorme, contentísima. ¡Incluso le pidió matrimonio!

LA GRAN ACAMPADA

En otra ocasión, Justin tenía prevista una aparición en el programa de televisión *The Today Show*. Una multitud de fans se congregó a las puertas del estudio treinta y dos horas antes de la grabación del programa. La espera mereció la pena para casi tod@s, pues Justin saludó a todo el mundo antes de su actuación.

A su llegada a Inglaterra, cumpliendo con su primer viaje promocional, fue recibido por una masa enloquecida de fans que lo aclamaban. Firmó y saludó a muchísimos de ellos, algunos de los cuales llevaban horas esperando.

NEGOCIO ARRIESGADO

La Bieber-manía ha llegado hasta Australia. Justin tenía previsto un concierto al aire libre para un programa de televisión de mañana en Sídney. Unos 4.000 fans acamparon la noche anterior para poder ver el concierto en primera fila. Cuando apareció, las filas de detrás empezaron a empujar con fuerza y diez fans sufrieron magulladuras. La policía australiana tuvo que suspender el concierto. Poco después, Justin se disculpaba delante de sus fans: "Lo siento mucho; se ha descontrolado todo. Espero que nunca nadie más se haga daño, por favor. A veces esto se convierte en una locura".

CORAZÓN DE ORO

Para demostrar a sus fans lo importantes que son para él, Justin tuvo un detalle fantástico con ell@s: escondió unos pases exclusivos en algunas copias de su álbum *My World 2.0*. Los afortunados que abrieron el CD y se encontraron con los pases pudieron viajar a Las Bahamas con el mismísimo Justin. ¡Un lujo al alcance de muy pocos!

ÉXITO MUNDIAL

Aparte de los innumerables fans que lo acompañan allá donde va, Justin es una de las figuras más conocidas en la Red.

Millones de personas han visto sus vídeos de YouTube; dos millones de internautas lo siguen en Twitter —una plataforma web muy popular en la que famosos y seguidores pueden intercambiar mensajes llamados *tweets*—. Pero no sólo eso: en su MySpace tiene más de 880.000 fans y su Facebook registra unos 4 millones de seguidores.

¿HACÉIS BUENA PAREJA?

Sigue las flechas y descubre si eres compatible con Justin...

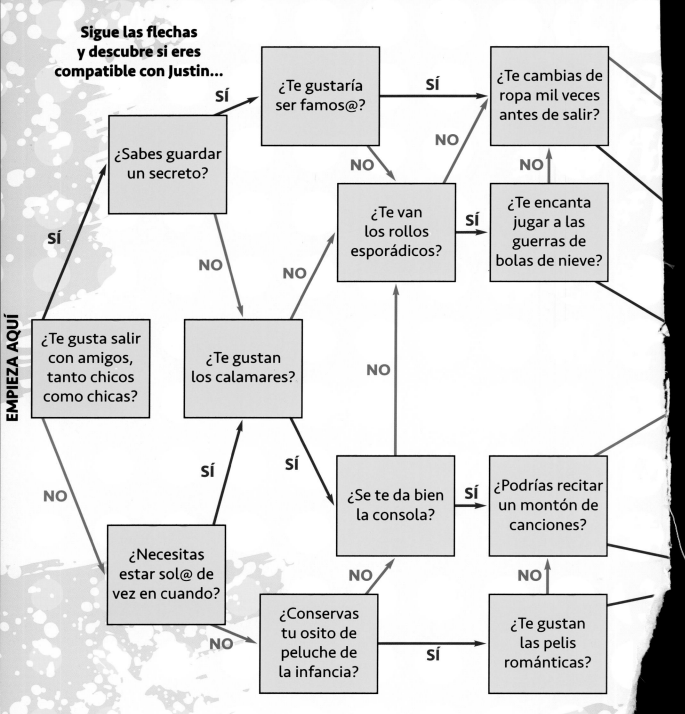

EMPIEZA AQUÍ

¿Te gustaría ser famos@?

SÍ → ¿Te cambias de ropa mil veces antes de salir?

¿Sabes guardar un secreto?

¿Te van los rollos esporádicos?

¿Te encanta jugar a las guerras de bolas de nieve?

¿Te gusta salir con amigos, tanto chicos como chicas?

¿Te gustan los calamares?

¿Se te da bien la consola?

¿Podrías recitar un montón de canciones?

¿Necesitas estar sol@ de vez en cuando?

¿Conservas tu osito de peluche de la infancia?

¿Te gustan las pelis románticas?

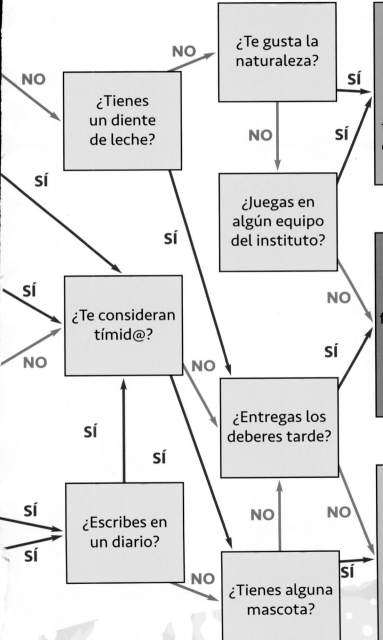

NO ¿Tienes un diente de leche?

NO ¿Te gusta la naturaleza?

SÍ

SÍ

NO **SÍ**

¿Juegas en algún equipo del instituto?

SU LADO MÁS DEPORTISTA

Tienes un montón de energía y te encanta explorar tus límites. Igual que Justin, te gusta pasar buenos ratos con los amigos, tanto si estás compitiendo en la cancha como si sales a practicar skateboard.

SÍ

SÍ

SÍ ¿Te consideran tímid@?

NO

NO

NO

SÍ

¿Entregas los deberes tarde?

SU LADO MÁS TRAVIESO

Como a Justin, te encanta hacer el payas@ con los amigos y no te faltan las ganas de cachondeo. La gente se parte de risa contigo, pero ¡ten cuidado!, no vaya a ser que te topes de bruces con tus padres o profesores...

SÍ

SÍ

SÍ ¿Escribes en un diario?

SÍ

NO **NO**

NO

¿Tienes alguna mascota?

SÍ

SU LADO MÁS TIERNO

Eres un poquito romántic@ y también disfrutas en compañía de la familia. Igual que Justin, tienes pocos amigos de verdad, aunque te gusta conocer a gente nueva.

LAS ESTRELLAS DICEN...

Descubre lo que dice tu horóscopo
y qué papel desempeñarías en la vida de Justin.

PISCIS

20 FEBRERO – 20 MARZO

Siempre fantaseas y tienes mucha imaginación. Eres bastante tímid@, pero te sueltas enseguida cuando te sientes a gusto.

ERES... LA PAREJA PERFECTA DE JUSTIN

Justin es piscis, como tú. Eres simpátic@ y creativ@. ¡Estáis hechos el uno para el otro!

GÉMINIS

22 MAYO – 21 JUNIO

¡Tienes una gran capacidad de seducción! Con tu piquito de oro, sabes manejar con gracia todas las situaciones.

ERES... EL MEJOR MÁNAGER DE JUSTIN

Eres tan locuaz y transmites tanta seguridad en ti mismo que conseguirás contagiar tu Justin-adicción al mundo entero.

ARIES

21 MARZO – 20 ABRIL

Eres muy extrovertid@. Te encanta ser el centro de atención. Cuando se te mete algo en la cabeza, no paras hasta conseguirlo.

ERES... EL RIVAL DE JUSTIN

Si has decidido hacerte músico, ¡prepárate para vértelas con Justin!

CÁNCER

22 JUNIO – 23 JULIO

Eres un tanto desconfiad@ con los demás y aborreces las rutinas. Eres muy leal con la gente a la que quieres.

ERES... EL GUARDAESPALDAS DE JUSTIN

Si a alguien se le ocurre molestar a Justin que se prepare. Nadie se atreverá a meterse con él mientras tú estés cerca.

TAURO

21 ABRIL – 21 MAYO

Eres una persona de fiar. Sabes guardar secretos. Eres muy generos@ y valoras mucho a los amigos.

ERES... EL ASESOR IDEAL DE JUSTIN

Sabes escuchar y dar consejos. Justin podrá contar siempre contigo en momentos difíciles.

LEO

24 JULIO – 23 AGOSTO

Eres muy vital y alegre. Canalizas tu energía hacia lo creativo y te encanta hacer reír a los demás.

ERES... EL MEJOR ESTILISTA DE JUSTIN

Contigo, Justin estará siempre perfecto y le encontrarás la ropa ideal para cada ocasión.

VIRGO

24 AGOSTO – 23 SEPTIEMBRE

Eres muy perfeccionista. No quieres dejar ningún detalle al azar. Todo tiene que salir tal y como lo has programado.

ERES.... UN BUEN CORISTA PARA JUSTIN

Con tu apoyo y tu buen hacer, las canciones de Justin seguirán siendo soberbias y pegadizas.

LIBRA

24 SEPTIEMBRE – 23 OCTUBRE

Eres una persona alegre y sencilla; a la gente le encanta estar contigo. Huyes de los conflictos. No te gusta ver a los demás enfadados o preocupados.

ERES... EL MEJOR AMIGO DE JUSTIN

Pasarás buenos ratos con Justin, ya sea tranquilamente en casa o en sus conciertos.

ESCORPIO

24 OCTUBRE – 22 NOVIEMBRE

Eres inteligente y luchador. No te dejas pisar fácilmente. También eres independiente y te gusta llevar el mando.

ERES... SU ENTREVISTADOR PERFECTO

Con tus ideas claras y preguntas incisivas, vas a sacar lo que quieras a Justin.

SAGITARIO

23 NOVIEMBRE – 21 DICIEMBRE

A veces es difícil seguirte la pista. Eres muy activ@ y te gusta ir por libre. Nunca paras de hacer cosas.

ERES... EL MEJOR ENTRENADOR DE JUSTIN

Con tu energía y sentido del humor, Justin se mantendrá en plena forma. ¡No le dejarás ni coger aire!

CAPRICORNIO

22 DICIEMBRE – 20 ENERO

Eres una persona de confianza; muy práctica. Te sabes organizar bien. No te dejas agobiar por nada y muchos acuden a ti cuando tienen problemas.

ERES... EL ASISTENTE PERSONAL DE JUSTIN

Tu buena organización y tu carácter tranquilo son idóneos para ayudar a Justin con su agenda.

ACUARIO

21 ENERO – 19 FEBRERO

Imaginativ@ y paciente, eres un alma creativa que vive la vida al máximo.

ERES... EL MEJOR COREÓGRAFO PARA JUSTIN

Te inventarás pasos nuevos para Justin. Con tu duende y tu virtuosismo, seguiréis agitando a las masas.

ASCENSO A LA FAMA

Con tan sólo dieciséis años, Justin ha recorrido un camino estelar en la industria musical. Esta es su cronología de éxitos.

1 MARZO DE 1994: el pequeño Bieber llega al mundo en London, Ontario (Canadá).

SEPTIEMBRE DE 2007: Justin gana el segundo puesto en el concurso *Stratford Idol*.

OCTUBRE DE 2008: Justin ficha por la compañía discográfica Island Records.

7 JULIO DE 2009: Justin debuta con "One Time" y arrasa en las emisoras norteamericanas.

13 SEPTIEMBRE DE 2009: primera aparición en los premios MTV. Justin interpreta parte de su repertorio y presenta a Taylor Swift junto a Miranda Cosgrove.

17 NOVIEMBRE DE 2009: Sale a la venta *My World 2.0*, con himnos como "One Time" y "One Less Lonely Girl".

22 DICIEMBRE DE 2009: Justin recibe el disco de platino por el millón de copias vendidas de *My World*.

18 ENERO DE 2010: Justin es sorprendido por una horda de fans enloquecid@s en la tienda HMV, en el centro comercial London's Westfield de Inglaterra. Justin firmó y habló con todos ellos.

31 ENERO DE 2010: Justin es el encargado de presentar uno de los premios Grammy en su 52ª edición y conoce a muchas estrellas de la música.

23 MARZO DE 2010: su segundo álbum, *My World 2.0*, se sitúa en la lista americana de los más vendidos.

27 MARZO DE 2010: Justin actúa por sorpresa en los premios Nickelodeon Kid's Choice.

28 MARZO DE 2010: se estrena en la MTV el primer episodio de su programa *The Diary of Justin Bieber*, que da a conocer su lado más íntimo.

5 ABRIL DE 2010: Justin actúa en la Casa Blanca para celebrar la Pascua en el tradicional día del White House Easter Egg Roll. Conoce en persona al presidente de Estados Unidos, Barack Obama. La primera dama, Michelle Obama, se lo pasa en grande durante el concierto.

10 ABRIL DE 2010: Justin aparece como invitado en el programa de éxito *Saturday Night Live*, donde también conoce a la famosa actriz y presentadora Tina Fey.

13 ABRIL DE 2010: ¡Justin se estrena delante del volante! Poco después de cumplir los dieciséis, la estrella del pop se saca el carnet de conducir en Atlanta, Georgia (Estados Unidos).

23 JUNIO DE 2010: arranca su gira de conciertos en la ciudad estadounidense de Hartford, en el estado de Connecticut, avalada por el reconocimiento de la prensa.

A LA MODA

Cuando eres el centro de todas las miradas, tu estilo deja huella. Descubre los secretos de su irresistible imagen y de su fantástico peinado.

UN *LOOK* NATURAL

A Justin le gusta arreglarse y no tiene problemas en admitirlo: "Soy joven. Me gusta ir cambiando y supongo que en los últimos años me he vuelto más presumido". Su *look* natural no es más que el reflejo de su estilo personal y no le gusta que le digan lo que se tiene que poner. "Soy así y ya está. Me pongo una sudadera. No me complico", afirma.

SOBRE LA ALFOMBRA ROJA

Justin apareció de lo más sencillo y natural en los premios MTV de 2009. En lugar de escoger el típico traje o chaqueta seria, se puso una camiseta roja y deportivas a juego. Se colgó del cuello su cruz y la chapita preferida de su perro y cautivó a todos con su presencia.

ÚNICO Y VERSÁTIL

A Justin le gusta ir cambiando de imagen y tiene un don natural para la moda. "No soy nada ostentoso, pero me gusta G-star y me encantan los zapatos. Me chiflan las Supras; tengo un montón de sudaderas, pero también visto de Alexander McQueen."

CREÉTELO

Aunque parezca extraño, Justin tiene un "entrenador de ego". Un hombre llamado Ryan Good le ayuda a acabar de definir su estilo. "Primero no iba muy en serio. No estaba muy claro su rol conmigo. En principio, tenía que ayudarme a poner en práctica mis ideas, pero le acabamos colgando ese título y ahora todos le conocen por ese nombre. Pero en realidad no tiene nada que ver con el ego."

SU PEINADO

¿Cómo consigue Justin ese peinado natural y moderno en un momento? "Me ducho, me lo seco, me lo sacudo un poco y así se queda", afirma. ¿Y ese gesto tan típico de él, de apartarse el flequillo de la cara? Resulta que Justin tiene el pelo muy lacio ¡y a veces se le mete en los ojos!

¿SERÁ VERDAD?

En el transcurso de su brillante carrera, a Justin le han pasado cosas asombrosas. Pero no todo lo que vas a leer es cierto...

Algunas de estas divertidísimas anécdotas son verdad y otras no. ¿Sabes identificar cuáles? Compruébalo en la página 62.

1. La famosa presentadora Oprah Winfrey comparó a Justin con Paul McCartney, Frank Sinatra... ¡e incluso Elvis!

¿VERDADERO O FALSO?

2. Una fan que lo esperaba en el aeropuerto de Nueva Zelanda estaba tan excitada ¡que se apropió de su sombrero!

¿VERDADERO O FALSO?

3. El famoso rapero P. Diddy ofreció a Justin uno de sus Lamborghini.

¿VERDADERO O FALSO?

4. Justin se dio a conocer al gran público después de su aparición en el programa *The Maury Povich Show*.

¿VERDADERO O FALSO?

5. El mismísimo Justin Timberlake le ofreció grabar un disco juntos.

¿VERDADERO O FALSO?

6. Justin es tan conocido en Estados Unidos que han bautizado a una hamburguesa con su nombre.

¿VERDADERO O FALSO?

PASE AL BACKSTAGE

Recrea tu día perfecto con tu cantante favorito completando la historia. ¡Tus sueños se harán realidad!

Te damos, también, algunas ideas —entre paréntesis— para que escojas la que más te gusta. ¡El resto queda en manos de tu imaginación! ¡Pásatelo genial!

Soy _____ (tu nombre). El otro día salí con Justin Bieber. Lo pasamos genial.

Quedamos en _____, y nos metimos en un fotomatón. Justin llevaba _____ y _____. En la foto yo salí _____ (riendo, sonriendo, haciendo muecas), igual que él. Después del fotomatón, Justin y yo nos fuimos a _____(hacer skate, a pasear por la playa, a la feria).

Justin me compró _____ (un helado, un osito de peluche, una rosa).

Como habíamos hecho muchas cosas, nos entró hambre. Nos fuimos a mi restaurante favorito: _____ –. Se come superbien. Yo me pedí _____ y Justin comió _____.

Después de comer, Justin tenía que prepararse para el concierto. Actuaba en _____ (la escuela, el parque, un teatro) de mi pueblo, _____ .

Nada más llegar, Justin me invitó a pasar al backstage. Mientras él se cambiaba, sus asistentes me _____ (peinaban, maquillaban, hacían las uñas). Me pusieron, además, un modelito chulísimo para estar perfect@ en el concierto.

Justo antes de salir a escena, Justin se empezó a poner nervioso. "No encuentro mi _____", dijo. "¡No puedo salir sin él!"

Por suerte, supe en seguida qué hacer. Empecé a rebuscar por todas partes. "¡Mira! ¡Aquí está!", dije. "Estaba debajo del _____" (sofá, funda de la guitarra, caja).

Justin se puso contentísimo de poder recuperar su _____ .

En seguida se acabó de preparar y caminó ya hacia el escenario. Yo estaba en _____ (primera fila, backstage, reservado para VIP). Justin cantó mi canción favorita: _____.

Esperé a Justin y salimos juntos. Me enseñó a _____ (tocar unos acordes, llevar el skate, cantar una melodía).

Todavía nos quedaban emociones por vivir. De repente, llamó _____ , un amigo de Justin. Nos invitaban a una fiesta en _____.
Llegamos a la fiesta y allí conocí a tres famosos que me encantan: _____, _____, y _____.

Fue la mejor fiesta de mi vida porque pude ir con Justin Bieber.

JUST IN LOVE

Nuestro príncipe del pop es el cantante más atractivo y admirado del mundo entero y canta como los ángeles. Pero ¿qué es lo que le hace suspirar? Descubre más sobre sus romances.

EL PRIMER BESO

Aunque Justin ha reconocido haber estado sólo con un par de chicas, empezó de muy jovencito, con trece años. "Con la primera chica... la llevé a comer. Fue muy bonito."

¿Se acuerda, también, de su primer beso? Por supuesto. "Fue en el baile de fin de curso... fue casi mágico."

ADMIRADOR Y ADMIRADO

Algunas artistas también le han robado el corazón a Justin. A los siete años se enamoró perdidamente de la diva estadounidense Beyoncé. "Es una mujer impresionante. Me rompió el corazón cuando se casó con Jay-Z", admite.

En una de sus últimas entrevistas para la MTV News, Justin declaraba que le gustaría tener un romance con famosas como Meagan Good o Kim Kardashian.

SUS FANS

Por suerte, no hace falta que seas una superestrella para conquistar su corazón, pues podría salir con una fan perfectamente. "El amor no distingue entre personas. Yo no me pongo fronteras", declara.

SUS PRIORIDADES

Justin nos ha dado algunas pistas sobre lo primero en que se fija. Lo primero para él es la sonrisa y los ojos. No le gustan las chicas que van demasiado maquilladas; prefiere a una chica natural, sencilla.

Pero Justin no sólo se fija en el físico. Le encanta estar con alguien que le haga reír; con una persona inteligente que tenga una buena conversación.

PRIMERA CITA

¿Qué te gustaría hacer si se cumple el sueño de salir con el atractivo Justin? Una noche ideal para él consiste, sencillamente, en ir de cena, hablar y conocer mejor a la chica.

Justin ha grabado muchos vídeos con chicas, pero en la vida real es bastante tímido. "Uf, cuando me gusta alguien verdaderamente me pongo muy nervioso".

Lo único malo es que Justin no suele besarse en la primera cita, así que... ¡tendrás que esperar!

¿ERES SU PAREJA IDEAL?

Te brindamos la manera más rápida y divertida de saber si eres su chic@ ideal.

Escribe tu nombre y el de él con la palabra LOVES en medio. Apúntate cuántas veces se repiten las letras L, O, V, E y S. Obtendrás cinco números que debes sumar de dos en dos: el primero con el segundo, el segundo con el tercero, el tercero con el cuarto y el cuarto con el quinto. Repite la operación hasta obtener sólo dos dígitos, que te indicarán cuántas posibilidades tienes de ser su chica.

Ejemplo:
JUSTIN BIEBER LOVES
OLGA FERNÁNDEZ

Hay 1 'L', 1 'O', 0 'V', 4 'E' Y 0 'S'.

Así escribe los dígitos:
1 1 0 4 0

Suma los números de dos en dos hasta obtener sólo dos dígitos:

2 1 4 4
3 5 8
8 13
94%

¡FAMA!

Justin no pierde oportunidad de conocer a sus fans y sabe lo que representa el éxito para él, pero ¿cómo es el día a día de nuestra superestrella?

INICIOS HUMILDES

Por muy increíble que parezca, Justin nunca pensó que sería famoso. "Vengo de una ciudad pequeñita. Nunca imaginé que mi vida cambiaría tanto después de colgar unos vídeos", recuerda. "Y poder vivir todo esto a mi edad es alucinante."

¡FAN-TÁSTICO!

Justin sabe que se debe a todos sus fans e intenta transmitirles todo su cariño manteniendo contacto con ellos a través de Twitter.

También intenta ser siempre atento cuando los conoce en persona. "Es como si yo conociera a Beyoncé. Me vuelco con ellos como a mí me gustaría que hiciese alguien a quien admiro", declara.

SEGUIDORAS APASIONADAS

Justin ha conocido a muchos fans, pero el encuentro más extremo se produjo un día entrando en la radio. Una chica vio a Justin y corrió hacia él. No es que quisiera abrazarle: se le lanzó literalmente encima y lo derribó. Los dos acabaron rodando por los suelos.

Pero no os preocupéis por estos incidentes; ¡a Justin le encanta estar rodeado de admiradores! "Hombre, a los quince años, ¿cómo no te va a gustar que griten por ti?", decía entre risas en una entrevista reciente.

EL ÉXITO

Ser famoso tiene muchas ventajas. "Me conformaría con viajar por todo el mundo y conocer lugares fantásticos y a tanta gente", dice nuestro cantante favorito. "Creo que es positivo ser famoso porque puedes hacer muchas cosas constructivas."

BIEN ARRIBA

Justin se ha hecho tan famoso que crea expectación allá donde va. Hace poco recordaba el lugar más extraño en el que lo han reconocido. "Coincidí con unas chicas en un avión. No se lo podían creer —'Pero, ¿eres tú Justin Bieber?'—. Fue una sensación extraña."

RUMORES

Justin también ha tenido que hacer frente a falsos rumores. Hace poco, empezó a correr por la Red la espantosa noticia de que ¡Justin había muerto! Este tipo de comentarios sobre gente conocida son habituales. De hecho, estrellas como Taylor Swift o Miley Cyrus también han sido protagonistas de rumores similares.

Así, Justin se apresuró a confirmar que estaba sano y salvo. "¡Estoy vivo! ¡Y que no cambie!", bromeaba en Twitter.

SUS ÍDOLOS

Admirado y aplaudido por muchos, Justin también disfruta cuando se encuentra con alguna cara conocida. Descubre qué opina sobre algunos famosos y cómo ha llegado a conocerlos.

EMOCIÓN A FLOR DE PIEL

Justin pudo conocer en persona a dos gigantes del pop en la celebración de los premios Grammy. Escribió un *tweet* desde la alfombra roja: "¡Acabo de conocer a LL Cool J y a Smokey Robinson! No me lo puedo creer. Sabían quién era. Esto es demasiado".

En sus giras, Justin ha conocido a muchos famosos, como J.K. Rowling, el presidente Obama...¡e incluso Rihanna en persona se le acercó en una fiesta para besarle en la mejilla! "Ya no me lavaré más la cara", declaró entre risas.

Después de su entrevista con la aclamada Oprah Winfrey, Justin afirmó, contentísimo: "Oprah es tan buena persona... Es increíble; todavía no me puedo creer que me haya entrevistado".

ANSIADO ENCUENTRO

¿Cómo se sintió Justin al conocer a su admiradísima Beyoncé? "Fue como un sueño. Yo estaba un poco nervioso; le dije que estaba muy guapa. Es una mujer impresionante".

Justin también tiene amigos famosos. Describe a su compañero de gira, Taylor Swift, como un tipo excepcional.

HOLLYWOOD LATE POR ÉL

Después de quedar deslumbrados por su talento, numerosas personalidades se han sumado a la admiración general que despierta Justin y tienen mucho que decir sobre él.

¿Eres capaz de acertar quién ha dicho cada frase? Empareja cada cita con el nombre del famoso. ¡En la página 62 podrás comprobar las respuestas correctas!

Rihanna

Tina Fey

1. "Es como un hermano pequeño para mí"

2. "Le deseo toda la suerte del mundo. Está claro que se merecía este éxito"

3. "Lo más importante es saber cantar y a él, desde luego, talento no le falta"

Taylor Swift

Usher

4. "¡Se rompió el pie delante de 11.000 personas y acabó la actuación!"

5. "Es un bomboncito"

6. "Soy una Justin-adicta. Lo reconozco"

Kim Kardashian

Snoop Dogg

LA MEJOR SONRISA

A Justin le encanta repartir sonrisas en los escenarios, pero fuera de ellos también. Uno de sus sueños es dirigir una fundación solidaria en el futuro, pero de momento disfruta ayudando a los demás en lo que puede.

GESTOS SOLIDARIOS

A Justin le gusta cumplir sus deseos. Hace poco diseñó un collar para la fundación Project Clean Water, organismo fundado por la cantante Jewel. Justin también actuó para recaudar fondos en un colegio de New York City.

"Es genial. Esta es la mejor parte", afirma Justin cuando le preguntan por el tema.

FANS EN ACCIÓN

Los admiradores de Justin aportan, también, su granito de arena. El artista les pidió que donaran dinero para un hospital infantil en el estado de Nueva York y la respuesta fue aclaparadora. "Los fans de Buffalo han reunido 200.000 dólares en peniques... o sea, ¡20 millones de peniques! ¡Increíble! ¡Estoy tan orgulloso!", escribió en Twitter.

DEVOLVER LO QUE RECIBE

Justin ha ayudado a recaudar fondos para varias fundaciones; entre otras, Children's Health Fund y Malaria No more. Participó, también, en el programa de recogida de fondos Idol Gives Back, del canal de televisión American Idol's, subiéndose al escenario junto a leyendas vivas como Elton John y eclipsando a todos con su presencia.

AYUDA PARA HAITÍ

Numerosos artistas, como Mary J. Blige y Akon, se pusieron a la tarea de recaudar fondos para infraestructuras tras el terrible terremoto que arrasó Haití en enero de 2010. Justin contestó muchas llamadas durante la retransmisión de un maratón televisivo y se dirigió a sus fans en su brillante actuación de la noche. Mientras interpretaba como nunca "Baby", Justin animó a todo el mundo a participar: "Ayudemos a Haití. Muchísimas gracias. ¡Que Dios os bendiga!". También cantó junto a numerosos artistas el himno solidario "We are the world", para seguir reuniendo dinero para los habitantes del país.

LA MEJOR MEDICINA

Justin conoció a varios fans en un hospital infantil de NuevaYork, dentro del programa de visitas organizado por la Children's Miracle Network. El artista cantó para ellos en exclusiva algunos de sus éxitos como "One Time". "Estos momentos son los que de verdad importan. ¡Y estoy contentísimo de poder estar aquí! Espero que todos se recuperen pronto", dijo Justin. Seguro que, con su visita, les contagió de energía y vitalidad: la mejor medicina, sin duda.

DE GIRA

Justin ha recorrido los lugares más recónditos, y los que le quedan. Viaja con él y descubre los entresijos de las giras.

ALREDEDOR DEL MUNDO

Justin tuvo la gran suerte de poder cantar junto a figuras consolidadas como Kat DeLuna durante la gira MTV en el año 2009.

Poco después, recorrió París, Japón, Nueva Zelanda y Australia para promocionar su álbum *My World 2.0*. Justin disfrutó al máximo de la experiencia y no dudó en agradecérselo a sus fans: "Me dais tanta fuerza y me apoyáis tanto... Gracias a todos".

ESPECTÁCULO GARANTIZADO

Justin estaba muy impaciente antes de inaugurar su primera gira, My World Tour, en junio de 2010. "Va a ser espectacular. No va a dejar a nadie indiferente", comentaba.

Éxito arrollador y lleno total en cada ciudad; se demostró que Justin arrastra oleadas de fans allá donde va. Desde Norteamérica, pasando por los mejores recintos de Estados Unidos, Canadá o ciudades como Los Ángeles y Miami, el cantante cautivó a todos en cada escenario.

MOMENTOS PARA EL RECUERDO

A Justin le encanta salir de gira. Aquí tienes algunas de sus opiniones sobre el mundo de los escenarios:

VIAJES: "Lo mejor de todo es la posibilidad de viajar y de ver mundo. Claro que echo de menos a mis amigos, pero esto también es mi pasión".

GIRAS: "Cantar delante de tantas personas, poder conocer a las fans de todo el mundo... no tengo palabras".

LA VUELTA AL MUNDO: "Acabamos de dar la vuelta al mundo con esta gira... increíble", escribió en Twitter tras terminar una de sus últimas y frenéticas giras que le llevaron a destinaciones tan interesantes como Francia o Nueva Zelanda.

ENTRE CONCIERTO Y CONCIERTO: durante su gira de conciertos por las Bahamas en diciembre de 2009, Justin pudo disfrutar del placer de nadar entre delfines. "Ha sido uno de los momentos más emocionantes de mi vida", afirmó.

Justin con su mamá, Pattie, en la edición de 2010 de los premios Grammy.

EN FAMILIA

Estrella internacional e ídolo de masas, Justin mantiene una relación muy buena con su familia. Descubre cómo se lleva con sus seres queridos.

CUANDO HAY PROBLEMAS

La vida no siempre le ha sonreído a Justin. Sus padres se separaron cuando él era muy pequeño y creció con su madre, Pattie Mallette. "No nos sobraba precisamente el dinero", recuerda Justin. "Eso me ha hecho valorar muchísimo el momento que estoy viviendo ahora", reconoce nuestra estrella.

No obstante, Justin sigue manteniendo una excelente relación con su padre, aunque no puede pasar tanto tiempo con él como le gustaría.

HERMANO MAYOR

Justin tiene dos hermanastros más pequeños que él: Jazmyn y el pequeño Jaxon. Disfruta mucho llevándolos a todas partes y es muy protector con su hermana. Tiene muy claro que se enfrentaría a quien hiciese falta por defenderla, así que... ¡aviso a navegantes!

La familia es tan importante para Justin que el único regalo que aceptó cuando cumplió los dieciséis fue, sencillamente, pasar el día con ellos... mmmm.

LA MEJOR MAMÁ DEL MUNDO

La madre de Justin le acompaña en todos los viajes, le mantiene con los pies en la tierra y se preocupa por él en todo momento. Justin sabe que, con dieciséis años, no es muy normal que su madre esté todo el día encima de él. "También discutimos de vez en cuando. Pero tengo una relación maravillosa con ella. Es la mejor madre del mundo."

AMOR INCONDICIONAL

Justin está muy agradecido a la familia por todo su apoyo, sobre todo a su madre. "Es un amor incondicional. La necesito", afirma Justin con sinceridad.

Nuestro artista preferido también es consciente de que salir de gira cansa mucho, así que le regaló a su madre para su cumpleaños una estancia en un spa de lujo. Pero aún no es suficiente para él: en cuanto pueda, quiere comprarle... ¡una casa!

ORGULLO PATERNO

Todo el mundo sabe que Justin mantiene informadas a sus fans a través de Twitter, pero ¿sabías que sus padres también lo utilizan? ¡Sí!, intercambian mensajes con Justin-adict@s, haciéndole saber al mundo entero lo orgullosos que están de su hijo.

JUSTINADAS

Lee y sabrás qué opina Justin sobre un montón de temas:
chicas, guitarras, golf (¡!)...

"No soy exigente.
Lo que importa es estar
enamorado y punto"

"Usher me ha dado los
mejores consejos:
sé humilde y lucha
por lo que quieres...
llegarás lejos"

"Supongo que sigo
siendo inmaduro en
muchos sentidos, pero
intento no creérmelo
demasiado"

"Sólo se tienen
dieciséis años una vez
en la vida. Hay que
vivirlo al máximo"

"¿Que si se hacen
realidad los sueños?
Tengo más seguidores
en Twitter que
habitantes hay en mi
pueblo. Claro que se
cumplen los sueños"

"Scooby Doo me
sigue dando miedo.
Me niego a ver
esa serie"

"El presidente Obama se hizo un lío con mi nombre, pero se lo perdono. No conecta mucho con mi tipo de público. No sé qué le pareció 'One Less Lonely Girl'"

"Cuando toco la guitarra, desconecto del mundo... aunque me hablen, no me entero"

3 de abril 8:10: "No hay quien me pare jugando a golf".

3 de abril 8:27: "... me están barriendo..."

"Tengo 'One Time' grabada a fuego en la cabeza porque no paro de tocarla"

"¡No tengo ningún problema con Zac Efron!"

"Sigo siendo el mismo chaval que se dio a conocer en Youtube. Me levanto cada mañana agradeciendo donde he llegado y los fans que tengo"

"Acabo de pisar Australia y me encanta. El clima, el acento, las chicas, el agua, el calor, las chicas..."

GAJES DEL OFICIO

Justin también ha sufrido algunos accidentes y contratiempos sobre el escenario. Descubre aspectos que todavía no sabías sobre él...

¡QUÉ MALA PATA!

En el transcurso de la gira que compartió con su colega y pedazo de artista Taylor Swift, tenían una actuación prevista en el Wembley Arena de Londres. Taylor le deseó suerte antes de salir a escena. Poco después de esta "fatídica" actuación dijo: "¡Menos mal que le deseé suerte! ¡Me sentí fatal!".

Justin estaba interpretando la canción "One Time" cuando tropezó y cayó. Pese a todo, quiso finalizar la canción, momento en el cual se lo llevaron corriendo al hospital, donde se confirmó que se había roto el pie. El propio Justin confesó que había pasado una vergüenza horrible.

JUGOSA CITA

Justin llevó a su chica a un restaurante italiano y, justo cuando empezaban a cenar, ¡le tiró encima todos los espagueti! "¡Fue horroroso! Nunca más volví a salir con ella. Mi consejo: el primer día, nada de italianos. Creo que he aprendido del error."

LAPSUS DE UN FAN

Durante su intervención en los premios Grammy 2010, la lengua le jugó una mala pasada. Tenía que recordar a los oyentes que podían seguir votando por una canción de Bon Jovi cuando, en lugar de referirse al cantante, ¡dijo "Beyoncé"!, su gran ídolo. Cosas que pasan cuando estás enamorado...

EN LA ESCUELA

Justin estaba haciendo un trabajo para la escuela y uno de sus amigos le quiso gastar una broma. Cuando salió delante de clase para presentarlo, todo el mundo empezó a reírse de él. Resulta que su amigo había pegado una foto comprometida en el reverso de sus hojas y Justin se puso rojo como un tomate. Pero no hay rencores; de hecho, el susodicho sigue siendo uno de sus mejores amigos.

LA LUCHA POR EL ÉXITO

¿POSEES EL FACTOR "JUSTIN"?

¿Estás preparado para la montaña rusa del éxito en la que ya se ha subido Justin? Compite con tus amig@s en vuestra carrera hacia el triunfo.

INSTRUCCIONES

Colocad vuestras fichas en la casilla de salida. Tirad el dado. Saca quien tenga el número más alto. Id avanzando por orden. Quien llegue a la parte superior de cada sección, pasa a la siguiente.

Acabas de firmar para una de las discográficas más importantes del negocio. Pasas a la TERCERA FASE.

Te acaba de descubrir un cazatalentos. Pasas a la SEGUNDA FASE.

Un productor te ofrece firmar por su compañía. Vuelve a tirar.

Cuelgas tu actuación en YouTube. Tus vídeos reciben millones de visitas. Avanza una casilla.

Una cantante de pop admiradísima por ti quiere conocerte. Avanza una casilla.

¡Qué exitazo! Tu actuación ha arrancado un montón de aplausos y has quedado segundo. Avanza dos casillas.

Tu familia tiene miedo de los peligros del negocio musical. Retrocede dos casillas.

Tienes la voz ronca. Espera a la semana que viene para hacer la audición. Pierdes un turno.

↑
PRIMERA FASE:
AUDICIONES Y CONCURSOS
SALIDA

↑
SEGUNDA FASE:
LA LUCHA POR UN CONTRATO DISCOGRÁFICO

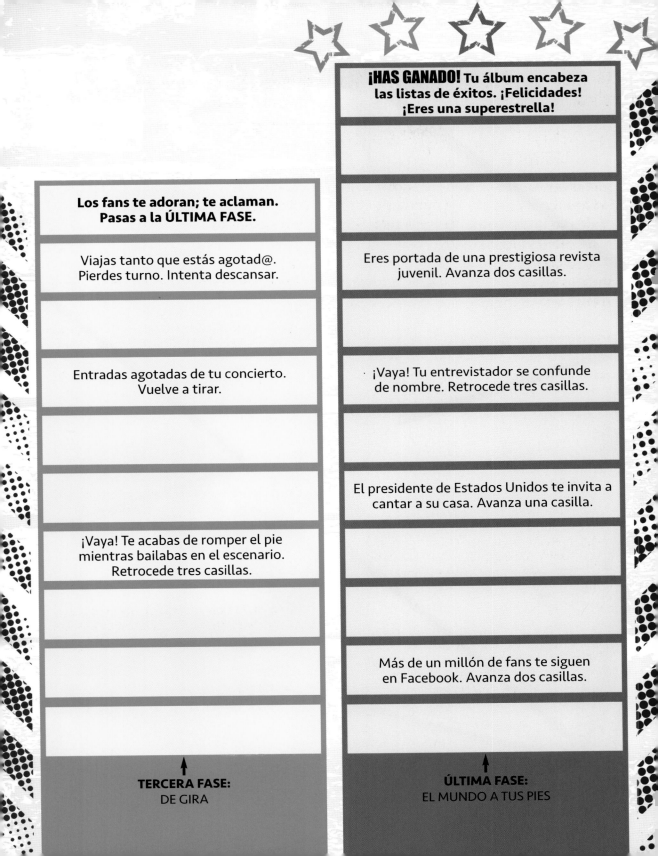

Los fans te adoran; te aclaman. Pasas a la ÚLTIMA FASE.

Viajas tanto que estás agotad@. Pierdes turno. Intenta descansar.

Entradas agotadas de tu concierto. Vuelve a tirar.

¡Vaya! Te acabas de romper el pie mientras bailabas en el escenario. Retrocede tres casillas.

TERCERA FASE:
DE GIRA

¡HAS GANADO! Tu álbum encabeza las listas de éxitos. ¡Felicidades! ¡Eres una superestrella!

Eres portada de una prestigiosa revista juvenil. Avanza dos casillas.

¡Vaya! Tu entrevistador se confunde de nombre. Retrocede tres casillas.

El presidente de Estados Unidos te invita a cantar a su casa. Avanza una casilla.

Más de un millón de fans te siguen en Facebook. Avanza dos casillas.

ÚLTIMA FASE:
EL MUNDO A TUS PIES

SUS AFICIONES

Justin es un espléndido cantante, pero tiene muchas más virtudes.
¿Quieres saber qué hace cuando se baja de los escenarios?

DEPORTISTA NATO

Justin juega de maravilla al básquet. Sabe rodar como nadie la pelota sobre su dedo e incluso retó a Usher en un partido en Nueva York. Después del encuentro, Justin bromeaba: "Qué difícil se lo he puesto a Usher".

Pero es que, además, a Justin le encanta el golf. En YouTube se puede ver un vídeo de él saltando y gritando "¡Esto es un putt!" después de meter la pelota en el hoyo a seis metros de distancia.

JUGADOR DE EQUIPO

Justin es bastante bueno jugando a fútbol, pero su deporte favorito es el hockey sobre hielo. En una ocasión les dijo a sus fans: "Me encanta el hockey... me pasaría todo el día jugando".

Justin jugaba a hockey sobre hielo —con el número 18— en un equipo llamado Atlanta Knights. Su posición favorita era el centro y su figura más admirada de hockey es el temido Wayne Gretzky.

SKATEBOARD

A Justin le encanta deslizarse con el skate –bajar barandillas y probar acrobacias–. Le salen bastantes trucos, como el '360', el 'Ollie' y el 'kickflip'.

TODAVÍA MÁS

En mayo de 2010 iban a jugar los Chicago White Sox un partido de béisbol cuando le concedieron el honor de hacer el primer lanzamiento. Poco después, mientras seguía el partido, llegó a sus manos la pelota tras una falta cometida por el jugador Paul Konerko. Justin escribió en Twitter ese día: "Hoy ha sido memorable... me voy al partido de los White Sox, me dejan hacer el primer lanzamiento y recojo una falta. ¡FLIPANTE!".

FAN DEL DEPORTE

El equipo preferido de Justin son los Toronto Maple Leafs, de la Liga Nacional de Hockey. En una ocasión escribió en Twitter que siempre será "de los leafs. Son los mejores". Su equipo de básquet favorito son los Cleveland Cavaliers.

Cuando cumplió los dieciséis, se fue a ver a los Angeles Lakers acompañado de Sean Kingston —músico y arreglista con quien trabajó en *My World 2.0*—. Al mismo tiempo, siguió por televisión el partido que disputaban Estados Unidos con Canadá en categoría olímpica. Ese día explicó a sus fans de Twitter: "Hoy es el día del deporte. ¡Canadá a por el oro!".

Tampoco penséis que se dedicó sólo a seguir el partido: en una foto se le ve mirando embelesado a las *cheerleaders* desde la primera fila.... ¡ay, pillín!

RITMO EN LA SANGRE

A los ocho años se arrancó con el *breakdance* en una fiesta familiar, probando todo tipo de piruetas. Con los años, ha mejorado su técnica e hizo una demostración de infarto delante del público en el programa de la CBS *Early Show*, grabado en Miami Beach.

UN CHICO NORMAL

Pero, sobre todo, Justin es un chico normal que disfruta de las pequeñas cosas, como tirarse en la cama a ver la tele o jugar a la consola.

TODO SOBRE SUS VIDEOCLIPS

Desde su primera aparición en YouTube, Justin se supera con cada videoclip. A continuación, nos colamos en el rodaje de algunos de ellos para explicarte todos los detalles.

ONE TIME

• Es su primer videoclip y aparece junto a Usher. Cuando no había cámaras grabando, se pasaban todo el día riendo, gastándose bromas.

• El mejor amigo de Justin, Ryan Butler, aparece al principio del videoclip sentado en el sofá jugando a la consola con él.

ONE LESS LONELY GIRL

• Justin no tenía novia en el momento de grabar el vídeo y dijo: "Por eso puedo besar a la chica".

• En el vídeo se le ve jugando con unos lindos cachorritos frente a una tienda de animales. ¡Uno de ellos se le meó en los pantalones!

BABY

• Justin explica que este vídeo, grabado en una bolera, estaba inspirado en Michael Jackson: "Queríamos darle un aire al 'You Make Me Feel'... cuando persigo un poco a la chica". Justin también nos regala su propia versión del *moonwalk* (paso lunar): un paso de baile, sello de identidad de Jackson.

• Justin coqueteó de verdad con la chica del vídeo, la guapa actriz Jasmine Villegas. Cuando esta le preguntó por qué la perseguía por la pista de bolos, él le respondió: "Porque eres preciosa y me encanta tu forma de ser".

NEVER LET YOU GO

• Este vídeo se grabó en un espectacular acuario de las Bahamas.

EENIE MEENIE

• Justin trabajó junto a Sean Kingston en el videoclip *Eenie Meenie*. Justin explicaba: "La idea del vídeo es que una chica está jugando con los dos y al final los dos decidimos que no podemos pelear por la misma chica".

• Christian Beadles es otro amigo de Justin que también aparece bailando en el vídeo.

TOCAR EL CIELO

Con tan sólo dieciséis años, Justin tiene por delante una prometedora carrera musical. Pero sus intenciones van mucho más allá de lo anecdótico. Te contamos sus sueños de futuro.

PISANDO FUERTE

Justin disfruta al máximo de la fama y el reconocimiento que está cosechando. Conocer a sus fans y vivir de esto es un sueño hecho realidad. En los próximos cinco años le encantaría ser premiado con un Grammy.

LLAMADA DE HOLLYWOOD

A Justin le gustaría formarse como actor. Hizo un cameo en la película de Nickelodeon, *School Gyrls* y, por el momento, ya es protagonista de su propio programa de televisión.

SIEMPRE SOLIDARIO

Justin también quiere realizar proyectos muy serios fuera de los escenarios. Nuestra estrella pop quiere dirigir su propia fundación cuando cumpla los 17. Con el tiempo, lo que más le gustaría es ayudar a los demás.

VUELTA A LOS ESTUDIOS

Más allá de su vida sobre los escenarios, Justin tiene la intención de seguir con sus estudios. "Quiero ir a la universidad y seguir creciendo como persona. Siento esa responsabilidad respecto a mis fans".

LO MÁS IMPORTANTE

Decida lo que decida —ir a la universidad, seguir arrasando en el mundo de la música, etc.—, Justin sabe que lo más importante es seguir contando con el apoyo de los suyos. Sin el cariño de su familia, de sus amigos y de los fans de todo el mundo, habría sido imposible.

El único consejo que puede dar a quien siga su camino es: "Cree en los sueños. Conseguirás todo lo que te propongas".

Actitud no le falta a uno de los ídolos pop más brillantes de los últimos años. Su futuro está escrito con letras de oro.

¿ERES JUSTIN-ADICT@?

Te encanta su música, tienes la habitación forrada de pósteres de él y crees que conoces todos sus secretos.

Eres una buena fan, pero ¿crees que has llegado a la categoría de Justin-adicta? Descúbrelo con este cuestionario. Comprueba las respuestas en la página 63.

3. ¿Qué nombre recibe el típico concierto de Pascua en la Casa Blanca en el que Justin actuó?

a. Sweet Easter

b. Easter Egg Roll

c. Easter Omelette

1. ¿Dónde se rodó el vídeo de su superéxito "Baby"?

a. En un parque temático

b. En una bolera

c. En el zoo

4. Justin tiene dos hermanastros, chico y chica. ¿Cómo se llaman?

a. Jason y Jessica

b. Jacob y Jonica

c. Jaxon y Jazmyn

2. ¿De qué raza es el perrito de Justin, *Sammy*?

a. Golden retriever

b. Chihuahua

c. Papillón

5. En la ceremonia de los premios MTV 2009, ¿a qué artista presentó?

a. Taylor Swift

b. Justin Timberlake

c. Beyoncé

9. ¿En qué película de Nickelodeon hacía un cameo Justin?

a. School's Out

b. School Sucks

c. School Gyrls

6. ¿Cómo se llaman los mejores amigos de Justin?

a. Paul y Ryan

b. Christian y Ryan

c. Christian y Jesse

10. ¿En qué equipo de hockey sobre hielo jugaba Justin?

a. Toronto Maple Leafs

b. Cleveland Cavaliers

c. Atlanta Knights

7. ¿Qué se rompió Justin durante su actuación en el Wembley Arena de Londres?

a. El brazo

b. El pie

c. El corazón

11. ¿Qué había escondido en algunos CD?

a. Una foto firmada

b. Un mechón de pelo

c. Un pase exclusivo

8. ¿Qué rumor se extendió por la Red en febrero de 2010?

a. Justin había muerto

b. Justin se había casado en secreto

c. Justin dejaba la música

12. ¿Cuántos peniques reunieron los fans de Justin para un hospital en el estado de Nueva York?

a. 20.000

b. 20 millones

c. 200.000

EL CHICO DIEZ

Cuando pensabas que lo sabías todo sobre Justin, aquí descubrirás diez cosas extra sobre el chico diez.

1. Justin empezó a tocar la batería desde bien pequeñito. Su madre le dejaba aporrear las cacerolas y sartenes en casa y a los cuatro años le compró una batería pequeña. A partir de ahí, recibió clases de piano, guitarra y trompeta.

2. Su pelo, su increíble voz y su manera de ser vuelven locos a fans de medio mundo. Por si no fuesen suficiente estas cualidades, Justin habla fluidamente francés, que es la lengua del amor.

3. Antes de hacerse famoso, Justin había tocado la guitarra en la calle. Con el dinero que reunió, se llevó a su madre a Disneyland.

4. La cantante británica Lily Allen creó una gran polémica cuando criticó a Justin en Twitter. Sus fieles fans en seguida saltaron a defenderlo.

5. Justin suele llevar chapitas de perro y otros collares chulísimos, pero ¿sabías que tiene hechos los agujeros de las orejas? Casi nadie lo sabe, ya que no se suele poner pendientes.

justin

6. Rihanna estuvo en su punto de mira. Le pidió para salir, pero esta le respondió que era demasiado joven para ella. Ohhh, otra vez será...

7. Justin confiesa que la peor parte de ser una superestrella es tener que madrugar tanto...

8. Tranquilo y sereno como siempre, Justin comenta que no se pone nervioso cuando le toca actuar delante de miles de personas.

9. Justin también puede ser un diablillo. En su gira por Nueva Zelanda, se escapó unas horas para hacer puenting en el Auckland Bridge. El muy granuja dijo que no había tenido miedo antes de saltar.

10. Justin ha dejado boquiabiertos a muchos artistas con su actitud tranquila, relajada y profesional. Usher, su máximo mentor, ha afirmado: "Aunque sólo tenga dieciséis años, cuando hablas con él te das cuenta de que tiene la cabeza muy bien puesta".

SOLUCIONES

¿SERÁ VERDAD? (PÁGINA 25)

1. ¡Verdadero! La reina de la televisión, Oprah, ha afirmado que Justin es el artista revelación más importante de los últimos años, como Paul McCartney, Frank Sinatra y Elvis en su época. ¡Vaya elogio!

2. ¡Verdadero! No sólo le arrebató el sombrero, sino que, en el mismo momento, una multitud corrió hacia él y arrollaron a su madre. ¡Pobre Pattie!

3. ¡Verdadero! P. Diddy se lo ofreció, pero nunca más se supo del coche. Justin se reía más tarde, diciendo: "¡No hay que fiarse de él!".

4. ¡Falso! Le invitaron al programa de Maury Povich, pero rechazó la invitación. Justin empezó a tener muchos fans a raíz de su aparición en YouTube.

5. ¡Verdadero! Justin se ofreció a trabajar con Bieber, pero fue la oferta de Usher la que le llegó al corazón.

6. ¡Falso! A Justin le encanta la cadena americana de restaurantes In-N-Out Burger, pero –de momento– no existe ninguna hamburguesa llamada Bieber.

HOLLYWOOD LATE POR ÉL (PÁGINA 33)

1. Usher **2.** Snoop Dogg **3.** Tina Fey **4.** Taylor Swift **5.** Rihanna **6.** Kim Kardashian

¿ERES JUSTIN-ADICT@? (PÁGINAS 56 Y 57)

Revisa tus respuestas y sabrás si eres Justin-adict@...

1. b **2.** c **3.** b **4.** c **5.** a **6.** b
7. b **8.** a **9.** c **10.** c **11.** c **12.** b

Si has sacado de 0 a 4

¡Te falta un poco! Te estás empezando a enganchar, pero tienes que aplicarte un poco más.

Si has sacado de 5 a 7

Sabes bastante sobre Justin, pero te queda un poco más. Sigue así y llegarás a ser Justin-adict@.

Si has sacado de 8 a 10

¡Felicidades! Lo sabes todo, pero, con tanta información en la cabeza, ¿todavía te queda espacio para los estudios?

justin bieber

justin

bieber

justin bieber